Gestión de operaciones

Gestión de operaciones

Trucos para manejar los recursos

Steven Nahmias

Steven Nahmias, profesor del Departamento de operaciones y sistemas de infotmática directiva de la Leavey School of Business en la Universidad de Santa Clara, también ha sido miembro del claustro de Stanford University, Georgia Institute of Technology y la Universidad de Pittsburg. Este libro está extraído de su libro de texto titulado *Production and Operations Analysis*, quinta edición, Irwin McGraw-Hill, 2005. Más de cien universidades, entre ellas Stanford, Berkeley, MIT y la Harvard School of Business, han aceptado el texo.

La edición original de esta obra ha sido publicada en lengua inglesa por The McGraw-Hill Companies, Inc., Nueva York (Estados Unidos), con el título *What the best MBAs know.*

Editor: Peter Navarro
Traducción: Carlos Ganzinelli
Revisión y adaptación: Susana Domingo (Universidad Pompeu Fabra)
Epílogo: Quico Marín

© 2005 by The McGraw-Hill Companies, Inc.
© para la edición en lengua castellana, Profit Editorial, 2010
(www.profiteditorial.com)
Bresca Editorial, S.L., Barcelona, 2010

Edición Especial para el Diario El Mundo Economía y Negocios, en alianza con la Universidad Metropolitana de Caracas - Venezuela.

ISBN: 978-84-96998-40-7 (Obra completa)
       978-84-96998-44-5 (Volumen 4)
Fotocomposición: www.eximpre.com

Índice

Llámelo «distribución», «logística» o «gestión de la cadena de suministros»… Sector tras sector, diferentes directivos retiraron esta disciplina, antaño carente de atractivo, y la han colocado en la parte más alta de la agenda empresarial. Obligadas a superar a la competencia en calidad o precio, las empresas están tratando de obtener una ventaja a través de su capacidad para entregar el material contratado en el tiempo acordado.

Ronald Henkoff

INTRODUCCIÓN

En un mundo de intensa competencia global, a las empresas les resulta cada vez más difícil ejercer cualquier clase de poder con respecto a los precios. Como resultado, muchos directivos han descubierto que la mejor manera de mejorar los resultados finales es recortar costos mediante una gestión más eficiente de las operaciones y de la cadena de suministros.

En el camino hacia esta estrategia más agresiva ha ocurrido algo curioso. Muchos directivos empresariales han descubierto que una estrategia así no sólo ayuda a rebajar costos, sino que también puede mejorar la satisfacción del cliente y por tanto aumentar la demanda y los ingresos. Permítame que le explique lo que quiero decir con esta historia de dos gigantes del comercio minorista de bajo precio, K-Mart y Wal-Mart. Ambas cadenas nacieron el mismo año, 1986, pero sus consejeros delegados (uno extravagante, el otro tímido y contrario a la publicidad) siguieron caminos muy diferentes.

Por un lado, Joseph Antonini, a la cabeza de K-Mart, creía que el camino hacia el éxito estaba en una brillante campaña de marketing poblada de personajes conocidos. Como complemento de este marketing extravagante, lanzó una agresiva campaña de adquisiciones y diversificación.

Por el otro, Sam Walton, gran jefe de Wal-Mart, estaba casi obsesionado con la eficiencia de las operaciones y la cadena de suministros. Invirtió decenas de millones de dólares en un sistema informatizado que uniera todas las cajas registradoras con la casa central, lo que le permitiría reponer rápidamente los productos vendidos. También invirtió mucho en camiones y centros de distribución para mejorar el control y por consiguiente rebajar costos.

Durante un tiempo, la liebre de K-Mart estuvo corriendo en círculos alrededor de la tortuga de Wal-Mart. Al cabo de pocos años, K-Mart era un nombre muy conocido mientras que a Wal-Mart apenas la conocían fuera de algunas áreas rurales del sur profundo del país. Incluso más, en 1987 las ventas de K-Mart duplicaban las de Wal-Mart.

Sin embargo, poco a poco las estrategias de Sam Walton en cuanto a la gestión de operaciones y de la cadena de suministros fueron superando la vitalidad del marketing de Antonini. En la década de los años noventa, mientras los pasillos iluminados de azul de K-Mart comenzaban a llenarse con historias de terror relacionadas con la distribución, el inventario de productos y los sistemas de escáner de Wal-Mart, de increíble sofisticación, empezaron a asegurar que los clientes no se encontraran nunca con estanterías vacías o con colas en las cajas. Tal vez no fuera ninguna sorpresa, pero en 1994, las ventas anuales de Wal-Mart casi triplicaron las de K-Mart y el resto, como se dice, es historia.

Lo que se quiere destacar aquí no es que el marketing no importa, que sí importa, sino que una estrategia completa de operaciones también puede ser una eficaz herramienta de marketing. Y vale la pena destacar aquí que se trata exactamente de la misma lección que los fabricantes norteamericanos de automóviles tuvieron que aprender de la peor de las maneras.

En la década de los años cincuenta y sesenta, los tres grandes fabricantes de automóviles en Estados Unidos (GM, Ford y Chrysler) prácticamente monopolizaban casi toda la producción mundial de automóviles. Al igual que Joe Antonini, los directivos que llevaban el timón de estos tres grandes monstruos industriales decidieron poner sus recursos no en automóviles con una mejor ingeniería y en rebajar costos sino en llamativas campañas de marketing y cambios de imagen anuales. Mientras tanto, los directivos de empresas japonesas como Honda y Toyota iban invirtiendo en la última tecnología automotriz y en sofisticados sistemas de logística como el que veremos en este libro, el muy alabado *just in time* (justo a tiempo). Una vez más, como se dice, el resto es historia.

¿Qué es lo que implica realmente una estrategia agresiva de operaciones? Las figuras 1 y 2 presentan el extenso territorio y proporcionan una visión general de las grandes preguntas y los conceptos clave en el campo de la gestión de operaciones. Por favor, estudie estas figuras muy cuidadosamente antes de seguir con el resto del libro.

En las figuras verá que las grandes preguntas de la gestión de operaciones cubren ocho áreas de decisión que van desde la planificación total y la gestión de inventarios, la producción y la cadena de suministros, hasta la programación de operaciones y proyectos, la distribución y ubicación de las instalaciones y la seguridad en cuanto a calidad y fiabilidad. Del mismo modo, los conceptos clave van desde herramientas matemáticas como la optimización y la programación lineal, conceptos de ingeniería como los cuellos de botella y cálculo de la explosión hasta una sopa alfabética virtual de modelos de operaciones, como EOQ (*economic order quantity*), JIT (*just in time*), MRP (*material requirements planning*) y PERT (*program evaluation and review technique*).

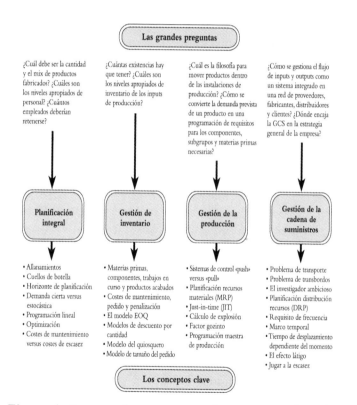

Figura 1. *Las grandes preguntas y los conceptos clave de la gestión de operaciones, 1.ª parte*

Lo que haremos a continuación es seguir secuencialmente estas grandes decisiones y conceptos clave. A medida que vayamos haciendo todo esto, por favor, tenga en cuenta que si realmente tuviera que estudiar todo lo relacionado con operaciones logísticas en una escuela de negocios, le pedirían que usara muchos conceptos matemáticos. Pero en este libro, yo sólo le pediré que se centre más globalmente en la intuición y la lógica que sostienen cada una de estas decisiones y conceptos.[1]

---

[1] Observe que las figuras 1 y 2 falta un ingrediente muy importante de una gestión de operaciones eficaz, el pronostico o prevención. Este concepto se analiza en los libros de la misma colección *Macroeconomía en la empresa y Decisiones y estadística.*

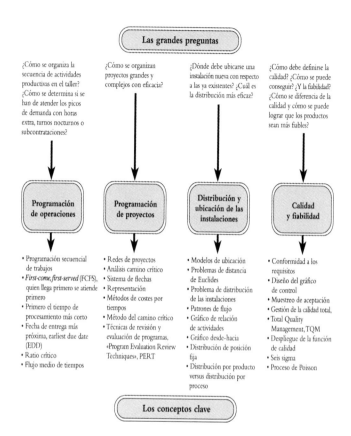

Figura 2. *Las grandes preguntas y los conceptos clave de la gestión de operaciones, 2ª parte*

PLANIFICACIÓN INTEGRAL

A lo largo de nuestra vida, vamos tomando micro y macrodecisiones. Las microdecisiones pueden ser qué desayunar, qué camino seguir para ir a trabajar, qué autoservicio usar o qué película alquilar. Las macrodecisiones son las que cambian el curso de nuestras vidas: dónde viviremos, qué trabajo realizaremos o con quién nos casaremos.

Los directivos empresariales también tienen que tomar micro y macrodecisiones todos los días. Por ejemplo, en el contexto de la planificación de operaciones, una decisión de nivel macro es determinar cuál debería ser la cantidad y combinación de bienes realmente producidos. Otra macrodecisión tiene que ver con el tamaño y el número apropiado de personal.

Esta macroplanificación necesariamente comienza con las previsiones de ventas. Históricamente, esta clase de planificación en operaciones se conoce como «planificación integral», porque el objetivo es determinar los niveles de personal y producción para toda la empresa (o una gran parte de la misma, por ejemplo, una división o una fábrica). Las siguientes son tres de las cuestiones más importantes que los modelos de planificación integral deben tener en cuenta:

- Allanar se refiere a los costos e interrupciones que surgen como resultado de cambiar los niveles de producción y personal de un período de planificación a otro.

- Los cuellos de botella ocurren durante períodos de picos de demanda cuando los recursos de la empresa escasean. Un buen plan integral toma en cuenta las previsiones de picos de demanda con la suficiente antelación como para mitigar sus efectos.

- El horizonte de la planificación es el número de períodos futuros que cubre el plan integral. Hay que elegir el horizonte de planificación cuidadosamente. Si es demasiado corto, no se pueden prever los cambios repentinos de la demanda. Si es demasiado largo, las previsiones de demanda se vuelven poco fiables.

Una cuarta cuestión, igualmente importante, es el tratamiento de la demanda. Aquí la cuestión es saber si se conocerá con certeza el nivel de demanda de una materia o producto y se la tratará de forma acorde o si se reconocerá y tratará esa demanda como algo incierto, o como dicen en el lenguaje de las probabilidades, estocástico.

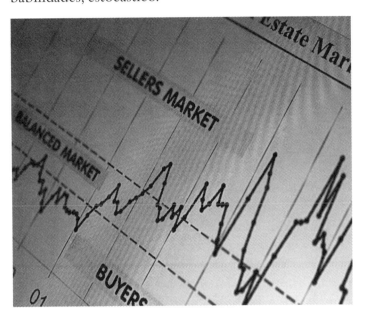

Hay una serie de modelos de planificación integral que tratan estas cuestiones y tienen en común que todos se basan en alguna forma de optimización. Como se puede ver en el libro de la misma colección *Decisiones y estadística*, la optimización requiere un objetivo, que en los negocios casi siempre es minimizar los costos o maximizar los beneficios.

En caso de escasez de inventario, se puede experimentar el costo de escasez. Son los costos relacionados con la demanda devuelta o perdida, así que una de las tareas más importantes de la planificación integral es equilibrar los costos de mantenimiento con los de escasez, o sea, optimizar.

Ahora me gustaría que prestara atención a la siguiente contradicción práctica. Los modelos de planificación integral pueden ser una valiosa ayuda para planificar los niveles de producción y personal precisamente porque proporcionan una manera de absorber la fluctuación de la demanda equilibrando o nivelando la planta de personal y la producción. Sin embargo, a pesar de estas ventajas, la planificación integral no ocupa un lugar importante en la planificación de las actividades productivas de la mayoría de las empresas.

Las razones son varias. Una es la dificultad de definir con exactitud una unidad agregada de producción para analizarla y otra es que a menudo resulta difícil obtener información precisa sobre costo y demanda. La más importante, tal vez, es que los modelos de planificación total rara vez reflejan la realidad política y operativa del entorno en el que opera la empresa.

Por ejemplo, la mayoría de modelos de planificación supone que los niveles de personal contratado pueden cambiarse fácilmente y sin embargo, es probable que para muchas empresas no sea una situación realista.

Para entender el porqué, será útil comentar brevemente la historia de los modelos de planificación integral. Sus comienzos están en un trabajo muy importante publicado en 1960 llamado *Planning Production, Inventories and Workforce*. Este libro fue escrito por cuatro profesores de Carnegie Tech (que más tarde se convirtió en la Carnegie Mellon University) y como parte de la investigación preparatoria del mismo, los profesores Holt, Modigliani, Muth y Simon desarrollaron un modelo de planificación para la empresa Pittsburgh Paints que sería fácil de aplicar, dado que se basaba en una regla de decisión lineal.

El equipo directivo de Pittsburgh Paints decidió no aplicar las recomendaciones de los cuatro profesores. ¿Por qué? Porque el modelo requería que la empresa cambiara constantemente el tamaño de su planta de trabajadores y se trataba de una empresa tradicional que daba mucho valor al hecho de mantener una planta estable de trabajadores.

GESTIÓN DE INVENTARIOS

Veamos ahora el segundo grupo de grandes preguntas, las relacionadas con la gestión de inventarios. ¿Qué cantidad de productos hay que tener en existencia? ¿Cuáles son los niveles apropiados de los inputs de producción?

Ante todo, hay que observar que la inversión en inventario entre los países de la economía global es verdaderamente sorprendente, del orden de los 1,5 billones de dólares en Estados Unidos solamente. El gráfico de la figura 3 desglosa estos inventarios por sectores económicos; los modelos de inventario que presentaré en esta sección son aplicables sobre todo a los sectores de fabricación, mayorista y minorista que forman alrededor del 80 por ciento del total. Desde este punto de vista, el control de inventario puede tener un impacto enorme en la eficiencia de cualquier economía.

Para comprender el problema del inventario, primero hay que identificar las cuatro clases de existencias que una empresa puede verse obligada a tener. De este modo veremos que no todos los inventarios cumplen la misma función, lo que quiere decir que los distintos tipos de inventario deben seguir modelos diferentes.

Para comenzar, en una planta de fabricación están las materias primas necesarias para producir o procesar y también puede haber componentes que se deban incluir más tarde en el producto final.

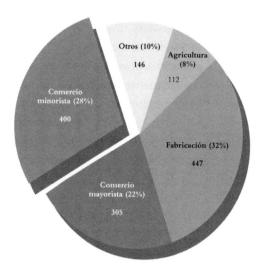

Inversión total = 1.410
Las cifras indican miles de millones de dólares

Figura 3. *Imagen general de un inventario*

La tercera clase de inventario es la de los trabajos en curso. Se trata de inventarios que están en la planta esperando para ser procesados. Por último, están los productos acabados, que son los productos finales que esperan ser enviados a su destino.

La idea principal de la operación eficiente es minimizar los costos relacionados con los inventarios y para conocer una empresa que ha llevado esta idea a un extremo altamente rentable, basta con fijar la atención en Dell, Inc.

La gestión de inventarios muy eficiente que hace Dell, Inc.

En 1985 decidí comprar un computador personal para uso doméstico. En aquel momento, un IBM XT básico se vendía por unos 5.000 dólares (¡la cantidad de capacidad y poder informático que se puede comprar hoy en día por esa suma!). Como era un precio demasiado alto para mi presupuesto, me arriesgué a comprar un computador por correo a una pequeña empresa de reciente creación en Texas llamada «PCs Limited».

Por 795 dólares conseguí una caja básica que contenía un procesador 8088 (de dos velocidades) y dos floppy drives. Después de añadir una tarjeta de video, una pantalla y un disco duro, el costo total no llegaba a los 2.000 dólares por una máquina que funcionaba con el doble de rapidez que un IBM, tenía un disco duro más grande y mejores capacidades de video. Funcionó perfectamente durante años y PCs Limited se convirtió en Dell. El éxito de Dell es el resultado de muchos factores, pero uno de los más importantes es el altísimo nivel de eficiencia con que gestiona sus existencias.

Para entender por qué, comencemos con la naturaleza del mercado de computadores personales. El procesador central realmente es el computador y su potencia determina la que tiene el PC. En el mercado de PCs, Intel ha sido líder en el diseño de microprocesadores y cada nueva generación de microprocesadores que ha sacado al mercado ha convertido a la anterior tecnología en obsoleta.

Dado que aparecen nuevos chips prácticamente cada año, los computadores y sus componentes tienen una vida relativamente corta. Además, dado que se están desarrollando chips nuevos a un ritmo cada vez más acelerado, el problema de obsolescencia de los PCs se está agravando cada vez más.

¿Cuál es, entonces, la solución de Dell para no encontrarse con un inventario de aparatos obsoletos? Es al mismo tiempo sencilla y elegante: ¡No guardar existencias! ¿Cómo lo consigue? Construyendo computadores personales sólo bajo pedido.

De todos modos, Dell igualmente tiene que almacenar componentes. Aunque no puede garantizar que se usen todos, la estrategia de marketing de la empresa está pensada para darle todo el movimiento posible a las existencias. En este sentido, Dell se centra solamente en la última tecnología y tanto sistemas como componentes tienen precios para que se vendan rápidamente. Además, debido a los grandes volúmenes, puede pedir descuentos por cantidad a los proveedores.

Tal vez lo mejor de este modelo de negocio es que Dell tiene como público objetivo a usuarios de última generación que exigen la tecnología más actual y están dispuestos a pagarla. Esto quiere decir que el margen de beneficio de Dell es más alto en este segmento del mercado y esto, junto con la eficiente gestión del inventario y de la cadena de suministros, han ayudado a que Dell tenga una excelente cotización en bolsa de sus acciones aun perteneciendo a un sector donde los márgenes son muy escasos.

A la vista del éxito de Dell, una pregunta resulta obvia: ¿Por qué empresas de todo el mundo mantienen literalmente billones de dólares en inventarios? Aquí es donde la historia se pone interesante porque hay algunas motivaciones muy razonables para guardar productos en existencias.

Por qué las empresas tienen inventarios

Para empezar, hay economías de escala por las que es menos costoso hacer pedidos o fabricar lotes grandes que pequeños. Y esto quiere decir que los costos fijos de la empresa se pueden amortizar dividiéndolos entre un número mayor de unidades.

Segundo, hay una serie de incertidumbres, por ejemplo de demanda, de tiempo muerto y de oferta. Cada uno de estos tipos de incertidumbre crea incentivos para tener existencias.

Tercero, está la simple especulación. La idea es que a la empresa le puede interesar tener más existencias de una materia prima como el cobre o el paladio, por ejemplo, porque piensa que los precios de estos materiales subirán.

Cuarto, en cualquier momento la empresa puede tener inventarios en movimiento. Se trata de las existencias que están en tránsito de un lugar a otro.

Por último, la empresa también puede tener existencias simplemente para allanar o suavizar un patrón de demanda irregular.

En cuanto al problema que determina el nivel óptimo de inventario, hay una serie de costos importantes que se deben considerar en el modelo. Por un lado, y como argumento en contra de tener existencias, están los costos de mantenimiento que van desde el costo de oportunidad de ingresos perdidos por inversión y el del almacenamiento físico hasta las primas de seguros más altas, averías y robos, así como también obsolescencia.

Por otro, y como argumento a favor de tener existencias, están los costos de pedido. Generalmente tienen dos componentes, uno fijo y otro variable. El componente fijo normalmente incluye la puesta en marcha de una producción y el variable es un costo pagado por cada unidad pedida o producida.

En la misma línea, hay costos de penalización en los que se incurre cuando la demanda supera a la oferta. En tales casos, el exceso de demanda puede ser servido en una fecha posterior, lo que crea un papeleo adicional costoso. La otra alternativa es que el exceso de demanda se pierda completamente, junto con los beneficios que se habrían obtenido en caso de satisfacerlo. En cualquiera de los dos casos, la empresa también se arriesga a perder clientes.

¿Cómo se determina, entonces, el nivel óptimo de existencias que hay que mantener? Un tipo de modelo de inventario se basa en el supuesto de que la demanda se conoce con certeza y el otro supone que la demanda no se conoce y que por tanto es una variable aleatoria. Como se puede ver en el libro dedicado a la estadística, una variable aleatoria es una cantidad cuyo valor no se conoce con certeza, pero cuyo alcance de resultados y las probabilidades de esos resultados sí se conocen. Veamos brevemente cada uno de estos tipos de modelos.

El modelo básico EOQ, modelo bajo certidumbre de demanda

Una advertencia: hay literalmente miles de modelos matemáticos que se han propuesto para controlar el flujo de los inventarios, pero prácticamente todos están relacionados de un modo u otro con el abuelo de todos los modelos, el llamado «modelo EOQ».

La sigla en inglés quiere decir «economic order quantity» o cantidad económica del pedido. El modelo lo desarrolló Ford Harris, un joven ingeniero que trabajaba en la Westinghouse Corporation en Pittsburgh, Pensilvania, en los años 80. Este sencillo modelo considera la relación básica entre los costos fijos de hacer un pedido y los costos variables de mantener existencias. Las matemáticas básicas aquí son: si h representa el costo de existencia por unidad de tiempo y K el costo fijo de comenzar la producción, entonces la fórmula para la cantidad del pedido Q que minimiza los costos por unidad de tiempo es

$$Q = \sqrt{2K\lambda/h}$$

en la que λ es la tasa de demanda.

Para los lectores poco adictos a las matemáticas, he aquí una pequeña ayuda: Aunque la fórmula parezca complicada, la intuición debería permitirles ver que la cantidad de productos en existencia que la empresa querrá tener disminuirá a medida que los costos de mantenimiento *(h)* suben y los de fabricar el pedido *(K)* bajan.

Además, hay que remarcar que aunque la fórmula EOQ es óptima sólo bajo supuestos muy restrictivos, igualmente es muy robusta por varias razones: (1) es una aproximación muy exacta a la cantidad óptima del pedido cuando la demanda es incierta y (2) las desviaciones del valor óptimo de Q generalmente dan lugar a errores de costo que sólo son modestos. Por ejemplo, un error del 25 por ciento en *Q* da lugar a un error de costo promedio anual, tanto de mantenimiento como de producción, de solamente el 2,5 por ciento.

Modelo de gestión de inventario bajo situación de incertidumbre

A pesar de la robustez de este resultado, sigue siendo importante considerar inventarios que tengan en cuenta la situación de incertidumbre. Esta situación puede ir desde la falta de disponibilidad de materias primas hasta la imposibilidad de predecir la demanda. Para comprender la idea de incertidumbre y lo que puede significar para las operaciones, considere lo que era dirigirse al aeropuerto antes del terrible ataque terrorista del 11/9.

Antes del 11/9, muchos de nosotros llegábamos al aeropuerto no más de 30 o 40 minutos antes de la salida de nuestro vuelo y ahora tenemos que llegar entre dos y tres horas antes. Lo hacemos porque las mayores medidas de seguridad en el aeropuerto no sólo han aumentado el tiempo requerido para coger un vuelo, sino también porque la incertidumbre de ese período es mayor. Para compensar esta mayor incertidumbre, llegamos con mucha antelación para tener un respiro y este mismo principio se aplica cuando se gestiona un inventario de existencias bajo situación de incertidumbre.

La diferencia entre un control determinista del inventario y uno incierto o estocástico es que en el caso de la incertidumbre la empresa crea un amortiguador para defenderse. Como ejemplo sencillo, consideremos al tendero que debe decidir cuántos periódicos comprar cada mañana. Supongamos que ha llevado un control cuidadoso de sus ventas a lo largo del año pasado y observa que las ventas diarias varían considerablemente, aunque vende un promedio de 100 periódicos al día. Esto podría hacernos creer que la opción lógica es comprar 100 periódicos cada mañana, pero siguiendo este enfoque, más o menos con la misma frecuencia tendría tanto exceso como falta de existencias.

Pero también hay que tener en cuenta lo siguiente: si la penalización por quedarse sin diarios supera la penalización por los diarios sin vender, a la quiosquera le convendría comprar más de 100 diarios cada mañana. Por ejemplo, si la penalización por quedarse sin existencias es el doble de alta que por el exceso de diarios, se puede demostrar que la política óptima sería comprar suficientes diarios para que se quedara sin existencias uno de cada tres días y tener un exceso de existencias dos de cada tres días.

Lo que aquí destacamos es que los sofisticados modelos de control de inventario que toman en cuenta la incertidumbre forman la base de muchos sistemas comerciales del mundo real. Estos modelos reciben nombres como «modelo del tendero», «modelo de descuento por cantidad» y «modelo lot size-reorder point» (tamaño del pedido). El ejemplo de aplicación 1 relata una historia de aplicación con éxito de un modelo muy sofisticado de control de inventario. Después de que lo lea, pasaremos al grupo siguiente de grandes decisiones relacionadas con la gestión de la producción.

Ejemplo de aplicación 1

El empleo de modelos de inventario para gestionar la cadena de suministros de semillas de maíz en Syngenta

Todos los años, agricultores de todo el mundo plantan grandes cantidades de hectáreas de maíz para la demanda de una población creciente. La empresa Syngenta de Minnesota es una de las ocho que representan el 73 por ciento del mercado norteamericano de semillas de maíz, valorado en 2.300 millones de dólares.

Syngenta obtiene las semillas sembrando su propio maíz y cosechándolo luego, pero todos los años tiene que resolver el problema de cuánto maíz sembrar.

Este problema de inventario es complicado por distintos factores. Uno es que hay cientos de híbridos de semillas. Algunos dan mejor resultado en climas más cálidos y húmedos, mientras que otros dan mejor en los climas más frescos y secos. El calor, la textura y el contenido de los azúcares del maíz que producen los distintos híbridos también varían. Otro problema es que los agricultores se niegan a plantar nuevamente un híbrido que haya tenido resultados desalentadores. Por todas estas razones, es difícil predecir la demanda anual.

Además de hacer frente a una demanda incierta, los productores de semillas de maíz también se enfrentan a rendimientos inciertos. Sus plantaciones están sujetas a mismos riesgos que tienen los demás agricultores: heladas, sequías y oleadas de calor.

En suma, Syngenta se enfrenta todos los años a la incertidumbre en cuanto a demanda y oferta. Pero también se enfrenta a un problema adicional porque siembra tanto en el hemisferio norte como en el hemisferio sur y dado que las estaciones están opuestas en cada uno de ellos, la siembra se hace en diferentes épocas del año.

En concreto, el maíz para semilla se planta en la primavera en cada hemisferio, o sea que la plantación en América del Sur tiene lugar unos seis meses más tarde que en América del Norte. Esto significa para la empresa una segunda oportunidad de aumentar los niveles de producción sudamericanos para compensar la escasez del norte.

Un equipo de investigadores de la universidad de Iowa, en colaboración con un directivo de Syngenta, estudió el problema de planificar el tamaño de las plantaciones. Usando aproximaciones discretas en las distribuciones de demanda y rendimiento, lograron formular el problema de planificación como un programa lineal que se podía usar a escala mundial. Un análisis retrospectivo demostró que la empresa podría haberse ahorrado 5 millones de dólares usando el modelo. Además, los analistas lograron identificar un sesgo sistemático en las previsiones de semilla hechas por la empresa que dio como resultado un constante exceso en la producción. Este modelo matemático de inventario se emplea actualmente para ayudar a la empresa a tomar sus decisiones de cuánto debe sembrar todos los años.

GESTIÓN DE LA PRODUCCIÓN

¿Cuál debería ser la filosofía para mover un producto dentro de las instalaciones de producción? ¿Cómo se convierte una previsión de demanda de un producto en una programación de componentes, subunidades y materias primas necesarias? Estas son las dos grandes preguntas de la gestión de la producción.

De hecho, hay dos filosofías completamente diferentes que los directivos empresariales pueden adoptar para gestionar el flujo de bienes en la fábrica, *push* (empujar) y *pull* (tirar hacia). Un sistema de control *push* como el MRP *(material requerimentes planning)* es uno en el que la planificación de producción se hace por adelantado para todos los niveles. Cuando la producción está completa en un nivel, las unidades literalmente se empujan hacia el siguiente. En cambio, un sistema *pull* como el JIT *(just in time)* es uno en el que las unidades se mueven de un nivel al siguiente sólo cuando se requiere.

Ambos sistemas son bastante distintos de los modelos tradicionales de control de inventario expuestos en la sección anterior, dado que esos métodos rara vez son apropiados en el contexto de una fábrica. Veamos primero el MRP.

Método MRP (material requerimentes planning) o planificación de requerimientos de materiales

El método MRP se basa en previsiones para los productos finales a lo largo de un horizonte de planificación. Con este método, los directivos pueden determinar las cantidades a producir no sólo para los productos acabados, sino también para todos los otros componentes o subunidades de cada nivel del sistema.

Veamos la figura 4 para entender esta idea. La parte superior ilustra un diagrama modelo de estructura de un producto y en la parte inferior, da un ejemplo de cómo sería el diagrama para la producción de un producto concreto, en este caso trompetas. En el medio de estos diagramas hay ilustraciones de la trompeta y las partes que la forman.

En la figura superior vemos los diferentes componentes del producto acabado. En la figura inferior vemos en el «nivel niño» del diagrama que la fábrica primero tiene que montar las piezas que se deslizan y las válvulas. Estas partes ensambladas y las válvulas se incorporan luego al «nivel padre» del montaje del cuerpo principal de válvulas. Por último, todo lo anterior, junto con el montaje del pabellón, se integra para crear el producto final acabado. Se trata de un sistema MRP de tres niveles.

La aplicación del MRP a este problema se basa en un concepto clave llamado «cálculo de explosión» y en una parte de ese concepto llamada «factor Gozinto». El cálculo de explosión es un conjunto de reglas para convertir una programación maestra de producción (en inglés MPS, por *master production schedule)* en una programación para construir todos los componentes que forman el producto final. El MPS es un plan de producción para el producto final por períodos. Como parte de ese cálculo, el Factor Gozinto nos dice cuántas unidades de la parte A se necesitan para crear la parte B.

La programación maestra de producción se deriva de las previsiones de demanda del producto una vez que estas previsiones se ajustan a las devoluciones de los clientes y a las existencias en curso. En cada etapa de este proceso, el MRP computa las cantidades de producción que se requieren en cada nivel del proceso realizando dos operaciones básicas: (1) compensando el momento cuando comienza la producción con el tiempo de espera en el nivel actual y (2) multiplicando el requisito de nivel más alto por el factor gozinto.

Al final, la programación de producción más sencilla en cada nivel se llama «lote por lote». Produce el número de unidades requeridas en cada período. Si se conocen los costos de mantenimiento y comienzo de la producción, es posible construir un plan más costo eficiente para decidir el tamaño de los lotes.

El sistema MRP tiene ventajas e inconvenientes. Su principal ventaja es que incorpora previsiones de la demanda futura en la planificación de la producción. Entre los inconvenientes se pueden incluir los siguientes: (1) la incertidumbre pronosticada se ignora; (2) las restricciones de capacidad productiva se ignoran en gran medida; (3) la elección del horizonte de planificación puede tener un efecto significativo en los tamaños recomendados de los lotes; (4) los tiempos de espera se suponen fijos, pero en realidad deberían depender del tamaño de los lotes; (5) el MRP ignora las pérdidas debidas a defectos o al tiempo de inactividad de las máquinas; (6) la integridad de los datos puede ser un problema serio, y (7) en sistemas donde los componentes se usan para múltiples productos es necesario fijar cada pedido a un nivel específico más alto. Debido a estos inconvenientes, muchas empresas prefieren sistemas de control como el *just-in-time*.

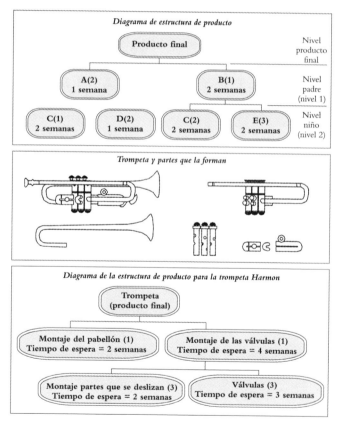

Figura 4. *Estructura de producto para la trompeta Harmon*

Método JIT (just-in-time)

La filosofía del *just-in-time* salió del sistema Kanban desarrollado por Toyota. Lo que hizo que el Kanban tuviera tanto éxito en Toyota fue que reducía los tiempos de cambio de los diferentes modelos de automóvil de varias horas a varios minutos.

«Kanban» es la palabra japonesa para referirse al panel empleado para hacer el seguimiento de los productos fabricados. El sistema Kanban controla el flujo de bienes en la planta por medio de una variedad de diferentes clases de tarjetas, cada una de ellas ligada a un *palette* de productos. La producción no puede comenzar hasta que no dispone de las órdenes Kanban y esto garantiza que la producción en un nivel no comenzará si no hay demanda en el nivel siguiente. Esto impide que los inventarios de trabajos en curso se acumulen entre los centros de trabajo cuando aparece un problema en cualquier lugar del sistema.

De hecho, el objetivo fundamental de un sistema como el JIT es reducir los trabajos en curso al mínimo. Para eso, los elementos que participan en la producción sólo se mueven cuando son requeridos por el siguiente nivel del proceso de producción.

El método *just-in-time* tiene varias ventajas e inconvenientes cuando se compara con el MRP como sistema para planificar la producción. Las ventajas son: (1) JIT reduce las existencias de trabajos en curso, lo que disminuye los costos de inventario y de deshechos; (2) es fácil identificar rápidamente los proble-

mas de calidad antes de que se acumulen grandes
cantidades de partes defectuosas; (3) cuando se coordina con un programa de compras, JIT asegura el sua-
ve flujo de los materiales a lo largo de todo el
proceso de producción.

De todos modos, el JIT no funciona para todas las
empresas, porque el MRP tiene varias ventajas pro-
pias. Para comenzar, el MRP tiene la capacidad de
reaccionar a los cambios en la demanda, dado que las
previsiones de demanda son una parte integral del
sistema (el JIT, en cambio, no hace ninguna planificación por adelantado). El MRP también permite ade-
cuar el tamaño de los lotes en los diversos niveles del
sistema, con lo que se puede reducir el número de
puestas en marcha del proceso y los costos relacionados. Por último, el MRP planifica los niveles de producción para toda la empresa y para varios períodos
futuros, por lo que la empresa tiene la oportunidad de
mirar hacia delante y programar mejor los turnos, así
como ajustar los niveles de la planta de personal según los cambios que vaya sufriendo la demanda.

GESTIÓN DE LA CADENA DE SUMINISTROS

Últimamente, la gestión de la cadena de suministros (GCS) ha sido el centro de atención de numerosos directores ejecutivos porque proporciona una oportunidad de reducir gastos y vencer a la competencia. Algunas formas de usar la GCS para obtener una ventaja competitiva son: mejorar las relaciones con los vendedores, externalizar la fabricación, la logística o ambas, trasladar la fabricación al extranjero y abrir nuevos canales de distribución.

La expresión «gestión de la cadena de suministros» se remonta a finales de la década de los años 80 y en la actualidad el *software* y las consultorías que se especializan en la GCS son muy corrientes. Han crecido a un ritmo sorprendente y entre ellas hay gigantes como SAP y Oracle.

Aunque la expresión es relativamente nueva, los problemas que trata la GCS no lo son. De hecho, prácticamente todo el material incluido en este libro involucra la gestión de la cadena de suministros en algún sentido y dicha gestión en sí se interpreta, en líneas generales, del mismo modo que la gestión de explotación.

Lo que la hace única es que considera el problema de gestionar el flujo de bienes como un sistema integrado. Como dijo el director del Stanford Supply Chain Forum: «La gestión de la cadena de suministros tiene que ver con la gestión de materiales, informaciones y flujos financieros dentro de una red formada por proveedores, fabricantes, distribuidores y clientes.» Esta definición, aunque sencilla, capta to-

dos los elementos esenciales de lo que es la gestión de
la cadena de suministros. La figura 5 lo ilustra en forma de paraguas y en ella podemos ver que cubre
cuestiones relacionadas con el suministro como la
programación de la producción y la planificación de
la capacidad, así como cuestiones de distribución
como el servicio al cliente y logística hacia el exte-
rior. En la figura queda implícita la pregunta de dónde encaja la cadena de suministros en la estrategia
general de la empresa.

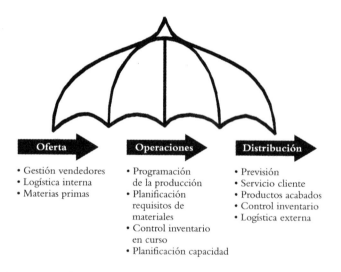

Figura 5. *El paraguas de la cadena de suministros*

Desde una perspectiva de marketing, un ejemplo
de posicionamiento estratégico es la decisión de ser
un proveedor de bajo costo, como Hyundai, o un
proveedor de alta calidad, como Mercedes-Benz. El

diseño de una cadena de suministros también refleja el posicionamiento estratégico de una empresa.

La relación entre costo y tiempo de respuesta es la principal consideración estratégica en la cadena de suministros. Por ejemplo, los directivos deben elegir entre el transporte rápido y más caro que ofrecen los aviones o la entrega más lenta pero más barata por medio de barcos o camiones. En la misma línea, también deben decidir si las entregas serán más confiables si el producto se mueve usando el sistema interno de la empresa o recurriendo a terceros. En este sentido, la logística de terceros cobra cada vez mayor importancia por la misma razón que la fabricación a cargo de terceros se ha extendido tanto, es decir, a veces resulta simplemente mucho más eficaz subcontratar o externalizar algunas actividades de la empresa.

¿Cómo se realiza un análisis de GCS? ¿Qué modelos emplean los directivos? He aquí una pequeña muestra.

Los problemas de transporte y transbordo

El problema del transporte de la empresa Pear Disk Drive aparece ilustrado en la figura 6. El problema de Pear implica la aplicación de un modelo matemático para programar de forma óptima el flujo de productos desde las plantas de fabricación a los centros de distribución.

En la figura vemos que Pear tiene tres fábricas en distintos lugares del mundo y cuatro almacenes en todo el país. Dados los niveles de producción de cada una de las fábricas y los diferentes costos de transporte, el objetivo del modelo es encontrar los caminos óptimos para el flujo de las mercancías, así como las cantidades que se deben transportar en esos caminos para minimizar el costo total de todos los envíos. El problema se puede solucionar a partir de técnicas como la programación lineal y conceptos fundamentales como el «heurístico[1] ambicioso».

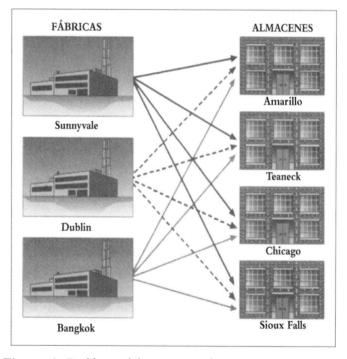

Figura 6. *Problema del transporte de Pear Disk Drive*

---

1. Se denomina **hurística** a la capacidad de un sistema para realizar de forma inmediata innovaciones positivas para sus fines

Debemos observar que el problema del transporte es una clase especial de red en la que todos los nódulos son de oferta y se llaman «fuentes» (por ejemplo, las fábricas de Pear) o son de demanda y se llaman «depósitos» (por ejemplo, los almacenes de Pear). La técnica de programación lineal también se puede usar para resolver problemas de red de distribución más complejos como los transbordos. En este caso, uno o más nódulos de la red son puntos de transbordo más que puntos de oferta y demanda.

Planificación de los recursos de distribución

La planificación de los recursos de distribución es otra herramienta importante en la gestión de la cadena de suministros. Aplica la lógica de la planificación de los recursos materiales desarrollada para sistemas de fabricación al problema de gestionar la distribución.

Un problema relacionado es la determinación de las rutas de entregas en las cadenas de suministros. Se trata de un problema muy difícil porque tiene que considerar varios aspectos, como la frecuencia con la que deben visitarse los clientes (requisito de la frecuencia), el momento específico de hacer esas visitas (el marco temporal) y hasta la forma de evitar las congestiones de tránsito en horas pico en las grandes áreas urbanas (itinerario dependiente de la hora).

El efecto látigo

Terminaremos esta sección sobre la GCS hablando de uno de los fenómenos más interesantes de las cadenas de suministros, el llamado «efecto látigo». Debido a este efecto, la variación de los pedidos parece aumentar drásticamente a medida que ascendemos por la cadena de suministros y esto puede crear toda clase de problemas, sobre todo en cuanto a producción.

Para entender este efecto, veamos el problema al que se enfrentaban los directivos de Procter & Gamble, que estaban estudiando patrones de reposición para uno de sus productos de más venta, los pañales desechables Pampers. Les sorprendía que los pedidos que hacían los distribuidores tenían mucha más variación que las ventas en las tiendas. Además, a medida que ascendían por la cadena de suministros, los pedidos pasados a fábrica tenían incluso una variación mayor. Todo esto resultaba bastante sorprendente porque la demanda de pañales es bastante estable entre los consumidores.

Procter & Gamble acabó acuñando la expresión «efecto látigo» para referirse a este fenómeno, que tiene lugar por una serie de razones. Una de las más importantes es «jugar a la escasez».

En el libro sobre macroeconomía se explica que la empresa Cisco Systems había ignorado una recesión cercana y se había visto de pronto con grandes cantidades de inventario sin salida. Una de las razones fue probablemente el efecto látigo que produce jugar a la escasez. En el punto álgido de la bonanza económica, había poca oferta de los «routers» de Cisco y los clientes quedaban en listas de espera. Cuando los clientes de Cisco descubrieron que no podían obtener todas las unidades que pedían, simplemente inflaron los pedidos. El resultado fue que Cisco se encontró con una «demanda fantasma» a la que hizo frente con una sobreproducción, cuyo resultado fue un exceso de productos en existencia.

PLANIFICACIÓN DE LAS OPERACIONES

Veamos ahora las dos grandes preguntas de la planificación de las operaciones. ¿Cómo se establece la secuencia de las actividades de producción en fábrica? ¿Cómo se decide hacer frente a los picos de demanda con horas extra, turnos nocturnos o subcontrataciones? Estas preguntas se pueden contestar estudiando el tema de la programación de las tareas.

Programación de las tareas

Frecuentemente se conoce también como «programación de secuencias» y es el problema más corriente en una fábrica. Un taller es un conjunto de máquinas y operarios para hacerlas funcionar y los trabajos pueden llegar todos de golpe o esporádicamente a lo largo del día.

Como ejemplo podemos considerar un taller de reparaciones de automóviles. En un día cualquiera, no se puede saber por adelantado exactamente qué clases de trabajos de reparación entrarán y las diferentes tareas requieren equipamientos diferentes y posiblemente, también personal diferente. A un mecánico experto le asignarán un trabajo complejo, por ejemplo sustituir una transmisión, mientras que a un mecánico joven con poca experiencia le tocará un trabajo menos complejo, por ejemplo una revisión rutinaria.

Ahora supongamos que todos los clientes llevan el coche al taller a primera hora de la mañana. El encargado debe determinar la secuencia en que se realizarán las

tareas para hacer el uso más eficaz posible de los mecá-
nicos y máquinas disponibles. Algunas de las características más destacadas del problema de establecimiento de
secuencias son el patrón de llegadas, la cantidad y variedad de las máquinas y de los trabajadores.

¿Cómo se soluciona entonces el problema de la
programación de las tareas? Hay al menos cuatro reglas entre las que elegir.

«First-Come, First-Served» (el primero que llega es el
primero que se atiende) significa que los trabajos se programan según el orden de llegada al taller. SPT, por
«Shortest Processing Time» o tiempo de proceso más
corto, significa que los trabajos se programan siguiendo
el orden desde el que requiere el tiempo más corto hasta el que requiere el tiempo más largo. Otra posibilidad
es EDD, por «Earliest Due Date» o fecha de entrega más
próxima y finalmente está la programación CR, por
«Critical Ratio» o razón crítica. Esta clase de programación es más complicada porque hay que calcular primero el razón crítica restando el momento de la fecha de
entrega y luego dividiendo el tiempo de procesamiento.
Una vez hecho esto, se programa el trabajo empezando
con el que tiene la razón crítica más pequeña.

¿Cómo se valora cuál de estas reglas es mejor
aplicar? Un criterio común es el flujo medio de
tiempo.

El flujo de tiempo de cualquier trabajo es el tiempo que pasa desde que el trabajo llega al taller hasta
que está terminado. El flujo medio es simplemente el

promedio de todos los flujos de tiempo para todos los
trabajos. Una consecuencia importante es que la programación SPT minimiza el flujo medio de tiempo y
otra que si el objetivo es minimizar la demora máxima, entonces los trabajos deberían programarse siguiendo la regla EDD.

El ejemplo de aplicación 2 es solamente una muestra
de la eficacia de la programación de operaciones en la
reducción de costos. Después de que usted lo haya leído,
pasaremos a ver la programación de proyectos.

Ejemplo de aplicación 2

*Millones de dólares de ahorro con el sistema de programación de
uso compartido de aviones privados*

Celebridades, altos directivos empresariales y profesiona-
les del deporte recurren al uso de aviones privados para
sus desplazamientos, pero para la mayoría no tiene sentido económico comprar sus propios aviones. Una alternativa interesante es la propiedad fragmentada. Proporciona
a los propietarios la flexibilidad de volar a más de 5.000
destinos, mientras que las líneas aéreas comerciales sólo
vuelan a unos 500. Otras ventajas son la privacidad, el
servicio personalizado, menos demoras y la capacidad de
hacer negocios durante el vuelo.

El concepto de un programa de aviones de uso compartido es similar al de los inmuebles en régimen de propiedad, excepto que los propietarios de aviones tienen el
acceso garantizado en cualquier momento avisando con
una antelación mínima de cuatro horas. Las tarifas se basan en el número de horas de vuelo que el propietario
requerirá: quienes poseen un octavo de participación tienen derecho a 100 horas de vuelo anuales, quienes poseen un cuarto tienen 200 horas y así sucesivamente. La

totalidad del sistema lo coordina una empresa de gestión fraccional (en inglés, FMC; por *fractional management company*). Con toda claridad, el problema de programar aviones y tripulaciones puede resultar bastante complejo. La empresa tiene que establecer programas que (1) satisfagan las solicitudes de los clientes a tiempo, (2) cumplan con las restricciones de mantenimiento y tripulación y (3) permitan la asignación de aviones específicos. La rentabilidad de la empresa programadora dependerá de la eficiencia con la que realice estas tareas.

Un grupo de consultores se ocupó de este problema y desarrolló un sistema de programación conocido como «ScheduleMiser» que pone en marcha un sistema de programación más amplio conocido como «Flight Ops». Los datos que se deben entrar en el sistema son las solicitudes de desplazamiento, la disponibilidad de los aviones y las restricciones de aviones en un horizonte de planificación específico. Aunque a los propietarios se les garantiza el servicio con sólo cuatro horas de aviso, la gran mayoría de los viajes se programa al menos con tres o más días de antelación. Esto otorga a la empresa programadora un perfil de demanda fiable con respecto a un horizonte de planificación de dos a tres días.

El sistema ScheduleMiser se basa en una fórmula matemática de enteros mixtos del problema. La función objetivo consiste en cinco términos que delinean los diversos costos del sistema. Se incluyen varios grupos de limitaciones para asegurar que las demandas se cumplan, las tripulaciones estén programadas adecuadamente y los aviones no estén programados por encima de sus capacidades. La Raytheon Travel Air adoptó este sistema y lo puso en práctica en noviembre de 2000 (en la actualidad la empresa se llama «Flight Options») para programar su flota de más de cien aviones. En el primer año de aplicación de este sistema, la Raytheon dijo haber obtenido un ahorro de más de 4.400 millones de dólares.

PROGRAMACIÓN DE PROYECTOS

¿Cómo se organizan proyectos grandes y complejos con eficacia? Esta es la gran pregunta de la programación de proyectos, que son sencillamente un conjunto de actividades que se deben hacer siguiendo un orden concreto. Tal como indica la figura 7, muestra del desarrollo de un pequeño proyecto de *software* comercial, los proyectos se pueden representar gráficamente como una red.

En este caso, la figura presenta un formato de flechas. Cada una de las letras de la figura representa una tarea por realizar. El proyecto comienza con la letra A, que en este caso es un estudio de mercado para determinar con exactitud qué requerirá la clientela potencial y qué características del *software* probablemente serán las más atractivas. Una vez terminada esta etapa, comienza el verdadero desarrollo del *software*.

La fuerza de esta clase de análisis es que permite que el programador encuentre el camino crítico del proyecto y se asegure de que se realiza en el menor tiempo posible. Para ello, le ayudará responder a las siguientes preguntas:

1. ¿Cuál es el tiempo mínimo requerido para terminar el proyecto?

2. ¿Cuándo comienzan y acaban cada una de las actividades?

Y sobre todo,

3. ¿Qué actividades pueden sufrir retraso sin demorar el proyecto?

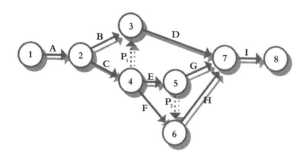

Figura 7. *Ejemplo de representacion gráfica de un proyecto en red*

El camino crítico

La longitud del camino crítico da el tiempo más corto de realización del proyecto. Las actividades que no siguen el camino crítico se pueden retrasar sin necesidad de demorar el proyecto.

Los jefes de producción tienen algunos sencillos algoritmos a su disposición para encontrar el camino crítico, además de paquetes comerciales de gestión de proyectos como el Microsoft Project.

Para ver con más detalle cómo funciona este método del camino crítico podemos considerar un proyecto de construcción. Cada día adicional que pasa da lugar a mayores costos y estos costos incluyen los costos directos de mano de obra del personal implicado en el proyecto, los relacionados con el empleo de equipos y materiales, y los costos generales.

Supongamos ahora que usted tiene la opción de reducir el tiempo de las actividades seleccionadas aunque con un determinado costo. A medida que se reducen los tiempos requeridos para las actividades del camino crítico, los costos de expedición aumentan, pero los costos proporcionales a la duración del proyecto disminuyen. Esto quiere decir que hay un tiempo óptimo para el proyecto que equilibra estos dos costos enfrentados. El problema de optimizar el costo del tiempo necesario para realizar un proyecto se puede resolver manualmente o por medio de la programación lineal mencionada con anterioridad.

Demos un giro al asunto: en algunos proyectos, por ejemplo en proyectos de construcción, el tiempo necesario para realizar tareas específicas se puede predecir con exactitud, aunque este no es el caso con los proyectos de investigación. De hecho, cuando el proyecto implica diseñar un *software* o un producto nuevo, es difícil —cuando no imposible— predecir con exactitud cuánto tiempo llevará cada actividad.

En tales casos, es mucho más razonable suponer que la duración de cada actividad es una variable aleatoria. Aquí es donde entra el método alternativo de programación de proyectos conocido como PERT (program evaluation and review technique). Se trata de un método desarrollado por la Marina para ayudar en la planificación del proyecto del submarino Polaris en 1958.

INSTALACIONES Y UBICACIÓN

¿Dónde se deben ubicar las nuevas instalaciones, sobre todo en relación con las que ya existen? ¿Cuál es la distribución más eficaz para las nuevas instalaciones? Se trata de grandes preguntas no sólo para las empresas, sino también para el ejército, las instituciones sin ánimo de lucro y el gobierno.

La decisión en cuanto a ubicación

Dónde ubicar una instalación nueva es un problema complejo y estratégicamente importante. Los hospitales tienen que estar cerca de núcleos de alta densidad de población, los aeropuertos tienen que estar cerca de ciudades grandes pero no tanto como para causar contaminación acústica y así sucesivamente.

En un contexto más global, las fábricas nuevas generalmente se instalan fuera de los países occidentales para aprovechar la mano de obra más barata de otros países, pero estos ahorros a menudo tienen un precio alto. Inestabilidad política, tipos de cambio desfavorables, deficiencias de infraestructuras y tiempos de espera muy largos son sólo algunos de los problemas que pueden surgir de la localización de instalaciones en el extranjero. Muchas veces esas decisiones son más estratégicas que tácticas y requieren sopesar cuidadosamente las ventajas e inconvenientes al más alto nivel directivo.

Sin embargo, en aquellos casos en los que el objetivo principal es ubicar una instalación lo más cerca posible de su base de clientes, los métodos cuantitati-

vos de gestión de operaciones pueden ser muy útiles.
Lo primero que hay que hacer es especificar cómo se
medirá la distancia.

Por ejemplo, la distancia en línea recta (llamada
también «distancia de Euclides») mide la distancia
más corta entre dos puntos, pero no siempre es la
medida más apropiada. Lo comprenderemos si consi-
deramos el problema de ubicar un cuartel de bombe-
ros. En este cálculo hay que tener en cuenta la
distribución de las calles, por lo que usar la distancia
rectilínea, que mide sólo los movimientos horizonta-
les y verticales, tendría más sentido que usar la distancia en línea recta.

Otra consideración es que no todos los clientes
tienen igual tamaño. Por ejemplo, una panificadora
serviría pedidos mucho mayores a un supermercado
o almacén que a una tienda de barrio. Aquí el criterio
adecuado sería el de la distancia ponderada.

¿Qué queremos destacar con todo esto? Que los
directores de explotación pueden utilizar una serie
de técnicas cuantitativas para tomar decisiones de
ubicación. A continuación veremos que lo mismo se
puede decir en cuanto a diseño y distribución.

Diseño y distribución

Los objetivos de la distribución de una planta pueden ser los siguientes: (1) minimizar la inversión ne-
cesaria en equipo y el tiempo requerido de

producción; (2) utilizar el espacio existente con mayor eficiencia; (3) proporcionar seguridad y comodidad a los trabajadores, y (4) minimizar los costos de mover y almacenar los materiales durante el proceso de producción.

Un concepto clave para determinar una distribución adecuada es el de los patrones de flujo, seis de los cuales aparecen ilustrados en la figura 8.

El patrón más sencillo es el flujo en línea recta, propio de una cadena de montaje. Su mayor inconveniente es que se necesitan muelles y personal separados para recibir y enviar mercancías, mientras que el flujo en forma de U tiene la ventaja con respecto a la línea recta de permitir cargar y descargar en el mismo lugar.

¿Se pueden ubicar operaciones cerca la una de la otra? Por ejemplo, en un hospital, el servicio de urgencias tiene que estar cerca de la entrada del hospital y la maternidad debería estar cerca de la zona donde se atienden a los bebés prematuros. La figura 9 representa dos técnicas gráficas posibles para analizar y representar la relativa conveniencia de ubicar dos instalaciones la una cerca de la otra.

El gráfico superior corresponde a un restaurante de comida rápida y se llama «gráfico de relaciones entre actividades». Es una forma gráfica de representar la conveniencia de ubicar pares de actividades en cercanía según una determinada valoración. En este caso, la letra A representa «absolutamente necesario».

En el otro extremo del alfabeto, la letra X quiere decir «no deseable», mientras que la E representa «especialmente importante» y la U «no importante».

El gráfico inferior es para un taller con muchas máquinas e indica las distancias entre actividades. Se puede usar para calcular los costos asociados con las distintas distribuciones.

En líneas más generales, en el entorno de una fábrica, el tipo apropiado de distribución depende de las actividades de fabricación y las características del producto. Una distribución de posición fija es apropiada cuando se trata de fabricar piezas grandes como aviones o barcos que son difíciles y costosas de mover. Más habitual es la distribución por producto, en la que las máquinas y las zonas de trabajo se organizan según la secuencia de operaciones necesarias para la fabricación del producto. Esta clase de distribución es la más frecuente en la producción en masa.

Tal como veremos en el ejemplo de aplicación 3, algunas empresas están experimentando con enfoques muy innovadores en cuanto a la distribución de los edificios de oficinas.

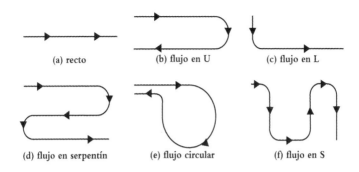

(a) recto   (b) flujo en U   (c) flujo en L

(d) flujo en serpentín   (e) flujo circular   (f) flujo en S

Figura 8. *Seis patrones de flujo horizontal*

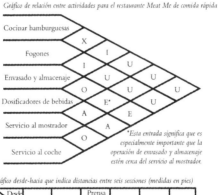

Figura 9. *Gráficos de relación entre actividades y desde-hacia*

Ejemplo de aplicación 3

Sun Microsystems es pionera en un nuevo sistema flexible de asignación de oficinas

Sun Microsystems, situada en Santa Clara, California, fue fundada en 1982 y en dos décadas se convirtió en proveedor mundial de productos de hardware y software con ventas que superan los 10.000 millones de dólares al año. Uno de los problemas de Sun, común también a otras empresas de Silicon Valley, es el alto precio de los bienes inmuebles. Los costos de vivienda, por ejemplo, actualmente son más altos en algunas zonas del Bay Area que en ningún otro lugar de Estados Unidos, incluso lugares históricamente más caros como Nueva York, Boston y Honolulú. Aunque la crisis bursátil de 2000 moderó un poco el mercado inmobiliario, los costos siguen siendo altos comparados con prácticamente cualquier otra área metropolitana del país.

Para combatir estos costos, Sun se embarcó en un programa innovador de asignación flexible de oficinas para sus empleados. El modelo empresarial tradicional, seguido prácticamente por todas las empresas del mundo, es que a cada empleado se le asigna una oficina pero hay una pregunta que rara vez se hace en el mundo de los negocios: ¿cuál es el uso verdadero de estas oficinas?

La respuesta dependerá del sector y el puesto de trabajo de la persona, por supuesto, pero según Crawford Beveridge, el director de recursos humanos de Sun, entre el 30 y el 35 por ciento de los empleados medios de una empresa no ocupa sus oficinas en ningún momento del día. ¿Por qué?

Las razones varían, pero pueden ser clases, conferencias, visitas a clientes, ausencias por enfermedad, vacaciones, reuniones fuera de la empresa o el trabajo desde la casa. Esto quiere decir que la tercera parte de los edificios de la mayoría de empresas no se utiliza. Además, en el caso particular de Sun, esta cifra probablemente sea mayor, dado que muchos empleados tienen permiso para trabajar desde sus casa para evitar largos desplazamientos hasta las oficinas de la empresa.

Para mejorar la utilización del espacio, Sun desarrolló un innovador programa según el cual la mayoría de los empleados no tiene asignada una oficina única. Esos empleados forman parte del llamado «sistema iWork» y pueden reservar el uso de una oficina para un momento concreto en una de las distintas instalaciones.

Para que todo esto funcione, obviamente deben de llevar consigo los efectos personales que vayan a necesitar, pero lo que realmente permite que este sistema funcione es una tarjeta que los empleados pueden conectar a cualquier terminal de Sun y tener acceso inmediato a todos sus archivos.

El objetivo de Sun con el programa iWork es tener 1,8 empleados por cada despacho y reducir así drásticamente los costos generales de los edificios. ¿Hasta qué punto funciona bien el sistema? Beveridge estima primero que Sun ha podido retener a 680 empleados, que de otra forma habría perdido, dándoles opciones de trabajar desde sus casa. Segundo, estima que Sun se ahorra actualmente alrededor de 50 millones de dólares anuales en costos inmobiliarios y que cuando el sistema iWork esté completamente instalado permitirá un ahorro de 140 millones de dólares anuales.

PLANIFICACIÓN DE OPERACIONES EN BUSCA DE CALIDAD Y CONFIABILIDAD

Todos tenemos una idea de lo que significa calidad, pero de hecho la expresión es bastante ambigua. ¿Un Rolls Royce es un automóvil de más calidad que un Toyota Camry? Si la respuesta es afirmativa, ¿en qué criterios se basa? El Toyota cuesta una fracción del precio de un Rolls y, sin embargo, cuando se trata de averías, probablemente el Toyota sea más confiable.

¿Cómo se define entonces la calidad? Phillip Crosby da una definición dentro del contexto de «conformidad a los requisitos» y sostiene que «quienes quieren hablar de calidad de vida deben hablar sobre esa vida en términos concretos, como ingresos deseables, salud, control de la contaminación, programas políticos y otros elementos que se puedan medir».

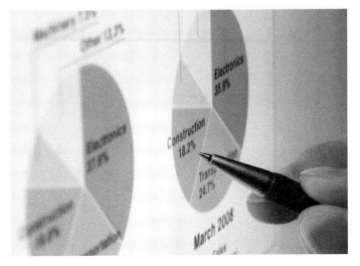

La idea, entonces, es que la conformidad a los requisitos, o conformidad con las especificaciones, parece ser lo que tiene más sentido como definición de calidad en el contexto de la gestión de operaciones, debido a que dichos requisitos y especificaciones se pueden medir y cuantificar. Y si se pueden cuantificar, también se pueden mejorar. Aun así, esta definición no llega a captar todos los aspectos de lo que queremos decir con calidad y de cómo la percibe el cliente.

Control de la calidad

En cuanto a cómo controlamos la calidad en un contexto de fabricación, hay una serie de métodos estadísticos a disposición de los jefes de producción. Uno de esos métodos es el gráfico de control estadístico, que proporciona una manera de controlar un proceso, más el concepto relacionado de control de calidad.

El control de calidad se hace una vez acabada la fabricación de un lote y puede hacerla el fabricante o el cliente. En la mayoría de los casos, inspeccionar el cien por cien de toda la mercancía es poco práctico, imposible o demasiado costoso. Por estos motivos, un enfoque más habitual es tomar una muestra de un subconjunto del lote y aceptar o rechazar el producto según los resultados de la muestra. Las formas más corrientes de hacer el muestreo son (1) la muestra simple, (2) la muestra doble y (3) la muestra secuencial.

Gestión de la calidad total. Total Quality Management (TQM), y el concepto de la calidad

Cuando el concepto de la calidad comenzó a arraigarse en Estados Unidos y otras partes del mundo, dio lugar a una importante expresión en los negocios y la empresa que sin duda usted habrá oído, Total Quality Management o TQM. Brevemente, se trata del compromiso total de todas las partes de la empresa con la misión de calidad.

Una parte importante de la gestión de calidad total es escuchar al cliente. Este proceso incluye encuestas y el empleo de grupos de trabajo para descubrir aquello que los clientes quieren. También incluye analizar esta información, priorizar las necesidades de los clientes y vincular esas necesidades con el diseño del producto. Por ejemplo, una forma de lograr esto último es una técnica llamada «despliegue de la función de calidad» (Quality Function Deployment o QFD).

Más ampliamente, varias agencias de todo el mundo promueven la calidad en sus respectivos países a través de un reconocimiento formal. Este proceso comenzó en Japón con el premio Deming, establecido y financiado por el gurú de la calidad W. Edwards Deming. En Estados Unidos, la calidad que se destaca tiene como reconocimiento el premio Baldridge, establecido en 1987. Debe su nombre al senador Malcom Baldridge, ya fallecido, y lo otorga el presidente de Estados Unidos.

Otro importante reconocimiento de la calidad es la certificación ISO 9000. ISO quiere decir «International Standards Organization» (organización internacional de estándares) y para recibir la certificación las empresas deben que documentar con toda claridad sus políticas y procedimientos. El procedimiento puede ser costoso tanto en tiempo como en dinero, pero a menudo es un requisito para hacer negocios en muchos países.

El ejemplo de aplicación 4 destaca otro concepto clave relacionado con la gestión de la calidad y la confiabilidad, el de Seis Sigma. Un estándar de calidad seis sigma se traduce en tasas de defectos muy, pero muy pequeñas, de 3,4 partes por millón o menos. Cuando acabe de leer el ejemplo de aplicación sobre el valor de los programas seis sigma, terminaremos este libro con un breve análisis de la confiabilidad.

Confiabilidad

Cuando pensamos en el éxito económico de Japón, lo que nos viene a la mente a muchos de nosotros es el sector del automóvil. ¿Por qué empresas como Toyota y Honda han tenido tanto éxito en quitarle cuota de mercado a empresas como GM o Ford? La calidad percibida del producto probablemente sea la razón por la que tantos norteamericanos eligen comprar coches japoneses. Pero ¿qué dimensión de calidad es la más importante? La respuesta más probable a esa pregunta, fuertemente sugerida por las encuestas anuales a consumidores, es la confiabilidad de los coches japoneses.

Se trata de la confiabilidad, como campo, diferente del control de calidad estadístico que se realizaba en la década de los años 50, con el crecimiento de los sectores aeroespacial y electrónico de la posguerra en Estados Unidos. El departamento de defensa, en concreto, se interesó mucho en los estudios de fiabilidad cuando se hizo dolorosamente evidente que había serios problemas con los componentes y sistemas militares. De hecho, un estudio descubrió que en 1950 sólo la tercera parte de los aparatos electrónicos de la Marina funcionaba correctamente.

Ejemplo de aplicación 4

Navistar tiene éxito con el programa de calidad Seis Sigma

Navistar International es uno de los grandes fabricantes de camiones, autobuses y motores en Estados Unidos y tiene varias fábricas por todo el mundo. En 1985, los empleados de Navistar, en todo el mundo, superaban los 110.000. Debido a una huelga del sindicato UAW (United Auto Workers) y a una recesión, la empresa tuvo que recortar drásticamente su plantilla para sobrevivir. En la actualidad tiene alrededor de 20.000 empleados. Para combatir problemas de costo y calidad que tenía en aquel momento, Navistar decidió lanzar un programa de calidad Seis sigma a mediados de la década de 1990.

Los programas Seis sigma tienen su propia cultura. Los empleados especialmente entrenados reciben el nombre de cinturones negros después de un mes de formación y de maestros cinturones negros después de recibir formación adicional. Los cinturones negros son asignados a proyectos específicos y tienen poder como para dirigirse directamente a la alta dirección y proponer soluciones.

Por supuesto que para que un enfoque así funcione, no sólo los empleados sino también los directivos, deben estar firmemente comprometidos con el programa.

Aunque los programas Seis sigma raramente alcanzan las bajas tasas de defectos que pretenden, el objetivo es claro: hacer lo que haga falta en la empresa para producir un cambio fundamental en las actitudes tanto de la dirección como de los empleados con respecto a la calidad. Cabe destacar, sin embargo, que los programas de calidad no salen gratis. Para comenzar, Navistar tuvo que pagar más de 6 millones de dólares a una empresa consultora para aplicar su programa.

¿Todo el mundo cree en el valor de los programas Seis sigma? Evidentemente no. Por ejemplo, Charles Holland, presidente de una empresa consultora de Knoxville que se especializa en métodos estadísticos de control de calidad dice que el programa Seis sigma es una bala de plata* «vendido a precios exorbitantes».

Si esto es cierto, ¿qué llevó a Navistar a tirar 6 millones de dólares en este programa? Según John Horne, el consejero delegado de la empresa en 1995, la empresa necesitaba un antídoto contra la caída que estaba experimentando: «No teníamos una estrategia; la mayoría de empresas no la tiene». La estrategia que adoptó Horne fue ocuparse de los problemas de la empresa en cada fábrica. El principal objetivo del programa Seis sigma fue la enorme fábrica de Springfield, Ohio, que estaba en grandes dificultades.

El esfuerzo logró un millón de dólares de ahorro el primer año y ahorros mayores en los años siguientes. El ahorro total solamente en esta fábrica se ha calculado en 26 millones de dólares, muy por encima de los 6 millones de dólares de costo del programa.

---

* N. del t.: referencia coloquial a una solución sencilla extremadamente eficaz.

¿Cuál es la diferencia entre el control de calidad estadístico y la confiabilidad? El primero se ocupa de vigilar procesos para asegurar que un producto fabricado cumple ciertas especificaciones. Las variables aleatorias de interés son el número de defectos y el grado de variación.

La confiabilidad, en cambio, considera el comportamiento de un producto a lo largo del tiempo. Las variables aleatorias de interés en esta dimensión se ocupan de la cantidad de tiempo que pasa entre fallas. De hecho, tres de los desastres más destacados de los últimos tiempos, los desastres nucleares de Three Mile Island y Chernobil y la dramática pérdida del trasbordador espacial Shuttle, fueron el resultado de fallas de confiabilidad.

Para modelar la confiabilidad, los directores de operaciones disponen de una serie de herramientas importantes, por ejemplo, modelos de mantenimiento, estrategias de reposición por edad, funciones de confiabilidad y el proceso Poisson, por mencionar sólo algunos.

La idea general aquí es que los estudios sólidos sobre confiabilidad permiten a directivos y mandos empresariales establecer los programas más eficaces de mantenimiento preventivo y sustitución programada, así como analizar y comercializar con rentabilidad una amplia variedad de programas de garantías. Estas son sólo algunas otras maneras en que un estudio cuidadoso y el dominio de la gestión de operaciones puede contribuir al resultado final.

COMENTARIOS FINALES

El dominio de la gestión de operaciones contribuye al resultado final de una empresa. Por ello, muchos directivos centran su atención en ésta, a fin de reducir costos y vencer de este modo a la competencia.

Este libro ofrece algunas de las claves para resolver las siguientes cuestiones, que repercuten directamente en el resultado: ¿cuál es el tiempo mínimo requerido para acabar el proyecto?, ¿qué actividades pueden sufrir retraso sin demorar el proyecto?, ¿cuál es la distribución más eficaz para las nuevas instalaciones?, ¿dónde deben ubicarse las futuras instalaciones?

A lo largo del mismo, el autor muestra diferentes modelos de planificación integral, a fin de allanar los costos, superar los cuellos de botella y planificar la producción.

El lector puede introducirse en diferentes modelos de gestión y organización logística, presentados en tres áreas globales:

a) Gestión de la producción. Diferenciando la operativa de los sistemas «push» (empujar), es decir, basados en la previsión de demanda del producto y los sistemas «pull» (halar), que se fundamentan en la producción «justo a tiempo», según los pedidos recibidos.

b) Gestión de la cadena de suministros. Incluyendo la gestión realizada por terceros, como por ejemplo el transporte subcontratado.

c) Planificación de las operaciones. Programando las tareas, lo que implica determinar el volumen de horas extras, turnos, subcontrataciones, etc.

d) Programación de proyectos. Planificando las operaciones en busca de la calidad y la confiabilidad.

En conclusión, una presentación inteligible de los aspectos fundamentales de la gestión de operaciones.

EPÍLOGO

Nuevos sistemas de producción y el éxito
de Toyota

La gestión de operaciones es el estudio de la toma de decisiones en aspectos clave en la empresa como son procesos, capacidad, inventarios, fuerza de trabajo, calidad, etcétera. Así pues, la gestión de operaciones abarca todas las áreas funcionales de una empresa tales como producción, marketing, recursos humanos o contabilidad, en las cuales se busca siempre la máxima eficiencia para ayudar a la empresa a ser más competitiva y tener un margen mayor respecto al precio que la competencia.

Se han desarrollado muchas teorías de cómo gestionar estas áreas de la empresa y todas son igual de importantes, pero históricamente siempre se ha dado más importancia a la producción.

Veamos pues, un resumen histórico de evolución en el proceso de producción en el sector automovilístico, con un ejemplo claro que ha marcado tendencia en esta área de la empresa, el Toyotismo.

A mediados de los años 70 las grandes empresas automovilísticas de Europa Occidental y Estados Unidos se vieron afectadas por dos hechos fundamentales que han cambiado los sistemas de producción en esta industria: la crisis energética y la competencia de las empresas japonesas. En 1980 Chrysler no quebró gracias al plan de rescate del gobierno es-

tadounidense, incluso Ford estuvo cerca del colapso
en los años 1981-82.

Fue entonces cuando las empresas occidentales
empezaron a poner énfasis en la innovación y a mirar los sistemas de producción japoneses, basados en
la calidad y variedad de los productos, rotación de
tareas, trabajadores cualificados, motivación laboral...

Las firmas japonesas, y en especial Toyota, iban ganando terreno a los fabricantes tradicionales, en parte
gracias a la devaluación del yen y los bajos costos
salariales, pero sobre todo gracias a la mayor productividad de su sistema, lo que hacía que a principios
de los 80 el costo de los coches importados de Japón
era un 40% inferior a los estadounidenses y un 30%
inferior a los alemanes.

Las empresas occidentales empezaron, pues, a in-
vestigar acerca del porqué de la mayor eficiencia de
la industria japonesa. Al principio dieron mucha importancia a la gestión de los recursos humanos, ins-
pirada en la confianza mutua, la delegación de tareas por parte de los responsables y los incentivos a
la creatividad de los trabajadores. Sin embargo, las
empresas estaban más interesadas en la eficiencia del
sistema de producción.

Así, un estudio llevado a cabo a principios de los
80 (Abernathy, Clark y Kantrow, 1983) revela los

factores más importantes en la diferencia de productividad. A continuación tienen el resumen de los
porcentajes que explican la mayor eficiencia del sistema japonés:

- Sólo un 10% por la mayor automatización

- 7% por el diseño del producto

- 40% por el uso de mejor maquinaria e instalaciones

- 9% por diferencias en el sistema de control de
  calidad

- 18% por las diferencias en la división del trabajo
  y flexibilidad de los trabajadores

- Sólo un 4% por la mayor intensidad del trabajo

- 12% por el menor nivel de absentismo laboral

Así pues, en Japón hallamos un sistema basado en
el control de procesos, donde las técnicas de gestión
fueron profundamente desarrolladas y adaptadas a las
características culturales y sociales del país. El modelo
de referencia fue el adoptado por Toyota e impulsado por su vicepresidente hasta 1978 Taiichi Ohno,
dando lugar al "Toyotismo".

El punto crucial del Toyotismo es la conexión entre los sistemas de control de procesos y la organiza-

ción social del trabajo. Con un principio supremo, minimizar el exceso de trabajadores y materiales.

Esto se consigue mediante un sistema de control basado en el principio Just-In-Time, pero teniéndolo como principio básico para la organización del trabajo y producción final. De esta manera, sólo se produce lo que la siguiente fase del proceso necesita. Esto resultaba un problema para el Taylorismo o Fordismo, ya que se paraba toda la cadena de montaje, sin embargo, el sistema aplicado por Toyota cuenta con la flexibilidad de los trabajadores para ajustar a corto plazo las necesidades de diferentes niveles de montaje.

Los trabajadores tienen plenos poderes para parar la cadena de montaje, pero esto supone una gran responsabilidad, y por tanto estarán más atentos e incorporarán una mayor calidad al producto.

SITUACIÓN ACTUAL

La mayor eficiencia de las empresas automovilísticas japonesas (y en especial Toyota) les permitió ir ganando cuota de mercado, tanto a nivel mundial como a nivel estadounidense, pero no fue hasta la última década que Toyota dio el gran salto gracias a sus vehículos más eficientes en el uso de combustible (desde 1999 hasta 2008 sus ventas aumentaron un 70%).

Toyota supo leer la creciente sensibilidad de los ciudadanos hacia el medio ambiente, y enfocó sus inversiones en investigación y desarrollo a este campo. Así, la firma japonesa empezó a fabricar coches que consumían mucho menos que los estadounidenses, culminando esta apuesta por la sostenibilidad con el Toyota Prius.

En el siguiente gráfico se muestra una comparación entre Toyota y General Motors en el año 2005, cuando la supremacía de GM en el mercado mundial ya se veía amenazada.

	GM	Toyota
Cuota mercado EEUU	26,80%	13%
Rentabilidad por vehículo (en dólares)	-2.331 $	1.488 $
Número de plantas en EEUU	77	12
Tiempo de producción por vehículo	34,3 horas	27,9 horas
Promedio de costos laborales por empleado	73,73 $/h	48 $/h
Cuota mercado mundial	14,20%	12%

Fuente: Harbour Consulting

En 1980 GM tenía el 46% del mercado estadounidense, Ford un 17% y Chrysler un 9%, mientras que Toyota sólo un 6%. Sin embargo, en el 2008 estas participaciones fueron de 22%, 14,4%, 11% y 16% respectivamente, destacando también las participaciones de mercado de Honda (10,9%) y Nissan (7,2%).

A nivel mundial, en el año 2008, Toyota desbancó por primera vez a General Motors como primer fabricante de automóviles, con un total de 8,92 millones de coches vendidos, superando al buque insignia de la industria de Detroit, que fabricó 8,32 millones.

Paradójicamente, General Motors, cuya financiera ha estado también al borde de la quiebra, ha seguido aumentando sus ventas en Asia, América Latina, África y Oriente Próximo, donde ha concentrado el 64% de las operaciones en el año 2008, según los datos publicados por la compañía. Esta situación revela un cambio de tendencia en el consumidor estadounidense (donde GM pierde realmente clientes), que prefiere ahora coches más pequeños y eficientes.

Vemos, pues, que las empresas que mejor se adaptan a las preferencias de los consumidores tienen un sistema de producción más eficiente y aprovechan las nuevas tecnologías son las que acaban triunfando.

Ventajas del software en la cadena
de suministros

Hoy en día existe mucha presión en las empresas para reducir costos, pero al mismo tiempo para incrementar la innovación y mejorar la atención al cliente y la capacidad de respuesta. Así pues, la mayoría de las grandes empresas, cuentan con un potente software para gestionar su cadena de suministros (Supply Chain Management), con proveedores tan importantes como SAP u Oracle.

Grandes proyectos de instauración de estos programas se están llevando a cabo por parte de las consultoras tecnológicas más importantes, con el consecuente alto costo que estos proyectos suponen para las empresas. Sin embargo, toda la inversión que dedican para optimizar su cadena de suministros se ve traducida en mejoras en los resultados de los ejercicios posteriores gracias a la importante reducción de costos que la optimización supone.

El tener toda la cadena de suministros controlada bajo un mismo programa permite coordinar todas las actividades y procesos que la forman. Entonces, si se enfoca el software al negocio de la empresa, éste permite elevar la rentabilidad, la competitividad y el crecimiento. Y es que un mismo programa puede planificar áreas como ubicación, demanda, distribución, producción, logística y transporte, almacenes e inventarios.

Veamos, pues, un resumen de las principales funcionalidades que estos programas pueden dar a la empresa.

Trabajo en red

Las nuevas tecnologías permiten crear una infraestructura electrónica de la empresa, conectando proveedores, socios y clientes. De esta manera toda la información, tanto de proveedores como de clientes, estará siempre disponible, independientemente del lugar donde se encuentre el individuo, pudiendo realizar un seguimiento del estado del pedido, verificar los niveles de inventario, revisar previsiones y planes promocionales con el historial de pedidos, etcétera.

Planificación

Existen herramientas que permiten pronosticar con precisión la demanda, de manera que los participantes de la cadena de suministros puedan planificar con base en esta previsión, teniendo en cuenta el comportamiento de las compras y ventas. Así pues, la demanda se vincula de un modo rentable a la oferta, ampliando al máximo el rendimiento de los activos y evitando excesos de inventarios.

Muchas empresas cuentan también con programas que soportan tareas como la planificación estratégica, la asignación y la ubicación de la fabricación. De este modo el proceso de toma de decisiones identifica el lugar idóneo para fabricar un determinado producto, y la mejor distribución de éste. El resultado es una mejor selección de proveedores y una optimización de la red de transportes, ubicación geográfica y número de instalaciones en función de los costos.

COORDINACIÓN

La gestión de acontecimientos en la cadena de suministros controla cada etapa del proceso, desde la oferta económica hasta el momento en el que el producto llega al cliente, generando alarmas cuando algo falla.

Además, se gestiona el rendimiento de la cadena de suministros, informando en todo momento de indicadores clave y objetivos de rendimiento, incluyendo costos y bienes en toda la red de la cadena de suministro.

EJECUCIÓN

La colaboración entre los diferentes procesos es clave en la optimización y reducción de costos. Así, los programas de gestión de la cadena de suministros integran los procesos de compra y venta, incluyendo reabastecimiento automatizado, además de permitir determinar rápidamente dónde y cuándo se puede obtener un producto, comprobar su disponibilidad y gestionar el transporte.

La importancia de la trazabilidad

La trazabilidad es una herramienta para conocer todos los elementos que intervienen en la elaboración de un producto (materias primas, aditivos, empaques, etcétera) y todas las fases por las que pasa dicho producto (adquisición, recolección, producción, elaboración, almacenaje, distribución, etcétera). Por lo tanto, es una herramienta muy útil para cualquier empresa productiva o proveedora de servicios para conseguir el logro de sus objetivos de gestión.

Así pues, la trazabilidad es el conjunto de medidas, acciones y procedimientos que permiten registrar e identificar un determinado producto desde su nacimiento hasta su destino final.

Consiste en la capacidad para reconstruir la historia, recorrido o aplicación de un determinado producto, identificando:

• Origen de sus componentes

• Historia de los procesos aplicados al producto

• Distribución y localización después de su entrega

Al contar con esta información es posible entregar productos definidos a mercados específicos, con la garantía de conocer con certeza el origen y la historia del mismo.

El concepto de trazabilidad está asociado, sin duda, a procesos productivos modernos y productos de mayor calidad y valor para el cliente final. Hoy en día existe la tecnología que permite rastrear con precisión el camino que recorre un producto en la cadena productiva y de comercialización.

La integración de internet, redes de comunicación, acceso inalámbrico, software especializado, dispositivos móviles, GPS, entre otros, hacen realidad la idea de poder detectar el punto exacto y el momento donde se produjo un acontecimiento.

La trazabilidad tiene aplicación en diversas industrias y áreas, sin embargo, es en la industria alimentaria donde se ha dado con mayor fuerza: agricultura y ganadería.

Las amenazas de contaminación, bioterrorismo, transmisión de enfermedades y plagas, han impulsado el concepto de trazabilidad, particularmente en países con mayor desarrollo en los que se han publicado normativas específicas.

ISO Y SEGURIDAD ALIMENTARIA

La *International Organization for Standarization (ISO)* da un paso hacia adelante para dar seguridad a los productos alimenticios para los consumidores con su nuevo estándar de la ISO 22005 en la trazabilidad en la alimentación y cadenas alimentarias, con la incorporación de la más reciente serie ISO 22000 en sistemas de administración de alimentos.

Esta norma involucra a todas aquellas organizaciones directamente relacionadas en uno o más pasos de la cadena de suministros alimentarios como productores de forraje, agricultores, ganaderos, productores de materias primas y aditivos para uso alimentario, fabricantes de productos alimentarios, cadenas de distribución, empresas de abastecimiento de comidas, organizaciones que proporcionan servicios de limpieza, transporte, almacenamiento y distribución de productos alimentarios y otras organizaciones indirectamente involucrado con la cadena alimentaria como proveedores de equipamientos, agentes de limpieza, material de envase y embalaje y productores de cualquier otro material que entre en contacto con los alimentos.

Entre sus objetivos se encuentran los siguientes:

- Garantizar la seguridad alimentaria y objetivos de calidad

- Documentar la historia y origen de los productos

- Facilitar la alerta y el retiro de los productos

- Identificar los responsables en la cadena de alimentos

- Facilitar la verificación de información específica acerca de un producto

- Comunicar la información relevante a los clientes y consumidores.

Así, la organización deberá establecer y aplicar un sistema de trazabilidad que permita la identificación de lotes de productos y su relación con lotes de materias primas, procesos y registros de despacho. Este sistema de trazabilidad deberá ser capaz de identificar el material que ingresa desde el proveedor y la ruta inicial de distribución del producto final.

De esa manera, un sistema de trazabilidad mejorará el uso apropiado y confiabilidad de la información, la eficiencia y productividad de la organización. Además, facilitará la identificación de la causa de no-conformidad de un producto y la capacidad de cancelar y/o retirar del mercado si es necesario.

Un sistema de trazabilidad fiable se basa en procedimientos que aseguren que toda la información requerida es registrada y que la información registrada es un reflejo fiel de lo que ocurrió en el proceso productivo.